Bastelspiele

(Blockköpfe - Die Geschichte von S-1448)

Jedes Blockkopf Papier-Bastelbuch für Kinder wird mit 3 speziell ausgewählten Blockkopf-Figuren, 4 zufälligen Charakteren und 2 Zusatzfiguren wie einem Schwebeboard, einer Waffe oder einem Schild geliefert.

PASSWORT FÜR BONUSBÜCHER FINDEN SIE AUF SEITE 16.

Um ein Exemplar dieses Buches auf höherwertigem Papier auszudrucken, besuchen Sie bitte die untenstehende Website.

https://www.pdf-bucher.com/product/44/

Das Passwort finden Sie unten auf Seite 16.

Dieses Buch steht bis August 2021 zum Download bereit.

Empfohlene Regeln

Blockköpfe ist ein einfallsreiches Spiel und deshalb können Sie, wenn Sie mit Freunden spielen, letztendlich daran arbeiten, Ihre eigenen Regeln aufzustellen. Im Idealfall werden die Regeln vor Beginn des Spiels festgelegt, um Konflikte zu vermeiden.

Empfohlene Spielregeln für Anfänger

Legen Sie die Anzahl der Figuren fest, mit denen Sie spielen. Jeder Spieler beginnt mit einer gleichen Anzahl von Figuren. Bevor das Spiel beginnt, stellen Sie Ihre Figuren auf, indem Sie Fähigkeitsverbesserer, Waffen, Anti-Gravitationstafeln usw. hinzufügen. Es können maximal 4 Erweiterungen für die einzelnen Figuren verwendet werden. Platzieren Sie die Fähigkeitsverbesserungskarten, die zu jeder Figur hinzugefügt werden, unter der jeweiligen 3D-Figur. Sobald ein Fähigkeitsverbesserer an eine Figur angehängt wurde, muss sie bis zum Ende des Spiels bei dieser Figur bleiben. Jeder Spieler mischt dann seine Karten.

Entscheiden Sie, welcher Spieler zuerst beginnt, z.B. durch Würfeln oder Werfen einer Münze. Der Gewinner des Münzwurfs (Spieler 1) schaut auf seine erste Karte und platziert den mit seiner Karte verbundenen 3D-Charakter zusammen mit seinen Fähigkeitsverstärkern in einen zentralen Bereich. Spieler 1 wählt dann eine der vier Optionen für seine 1. Charakter-Karte, Geschwindigkeit, Verteidigung, Angriff oder Fertigkeit und liest die Zahl auf seiner Karte aus. Wenn Fähigkeitsverbesserer verwendet werden, kann die Zahl auf der Fähigkeitsverbesserer-Karte zu der Figur der Charakterkarten hinzugefügt werden. Zum Beispiel, wenn die Geschwindigkeit eines Charakters 60 beträgt und er ein Schwebeboard hat, das Geschwindigkeit +10 anzeigt. Dann ergibt sich für diesen Charakter eine Summe von 70. Alle anderen Spieler platzieren dann ihre 3D-Charaktere (mit beliebigen Fähigkeitsverbesserern) als nächstes im zentralen Bereich. Der Sieger der Runde ist der Spieler mit der höchsten Punktzahl in der gewählten Option und fordert alle Charaktere in dieser Runde. Wenn es ein Unentschieden zwischen den Gegnern gibt, gehen diese in eine weitere Runde. Der Spieler, der auf der unmittelbaren linken Seite von Spieler 1 steht, wählt eine andere Option aus der Karte seiner Figur, bis es einen eventuellen Gewinner gibt.

Am Ende des Spiels nimmt jeder Spieler alle Charaktere und Fähigkeitsverbesserer zurück, mit denen er begonnen hat.

Glabremog

Glabremog, Erzherzog des 5. Kreises der Hölle, wurde von Lord Edmund des 7. Kreises der Hölle aufgefordert, in die Überwelt zu reisen und alle Spuren des Guten zu vernichten. Während seiner Suche stieß Glabremog auf Xtreme (Beschützer des Universums) und wurde im Kampf gegen Messascin geschlagen. Er schläft nun auf dem Planeten Erde und wartet darauf, von einer unglücklichen Seele geweckt zu werden. Xtreme platzierte ein dimensionales Schloss an Glabremog's Grab, um sicherzustellen, dass seine Flucht verhindert wurde. Nur jemand mit einem nächtlichen, schwarzen Herzen darf das Schloss öffnen.

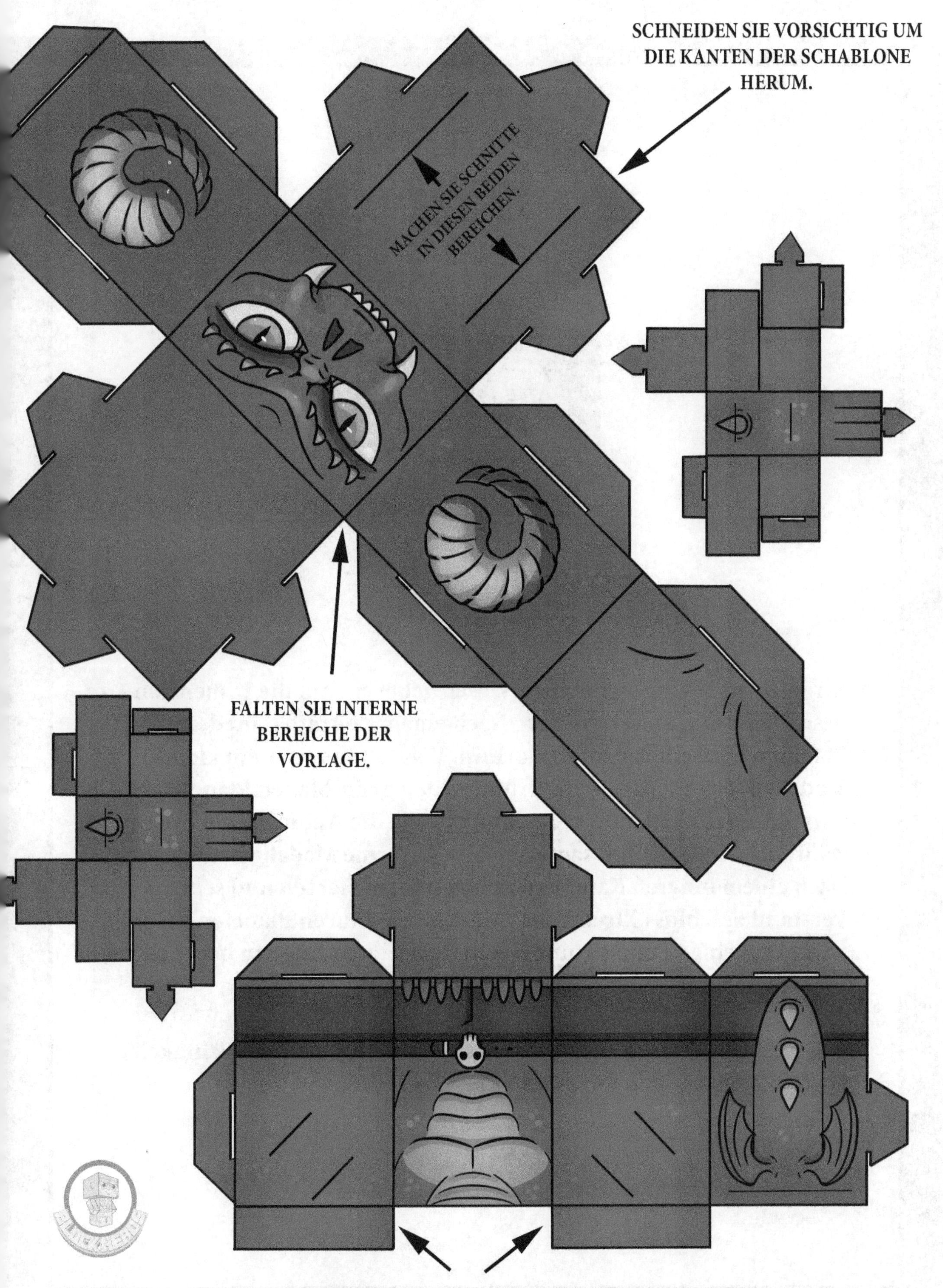
SCHNEIDEN SIE VORSICHTIG UM
DIE KANTEN DER SCHABLONE
HERUM.
MACHEN SIE SCHNITTE
IN DIESEN BEIDEN
BEREICHEN.
FALTEN SIE INTERNE
BEREICHE DER
VORLAGE.

FALTEN SIE DIESE BEIDEN KLAPPEN NICHT. BENUTZEN SIE SIE,
UM DEN KÖRPER IN DEN KOPF ZU STECKEN.

Xtreme

Xtreme wurde von kosmischen Wesen geboren, um die Dimension 1 zu beschützen und zu verteidigen. Nach einem Zeitraffer auf dem Planeten Erde eilte er sofort dorthin. Was er fand, war ein kleines Mädchen, das allein und im Orbit um den grün-blauen Planeten schwebte. Sein Verstand sagte ihm, er solle die Anomalie zerstören, während sein Herz ihm sagte, er solle das arme Mädchen aufziehen. Nach einem inneren Kampf zwischen seinem Herzen und seinem Verstand beschloss Xtreme, das Mädchen auf ihren Planeten zurückzubringen und sie mit einem wachsamen Auge zu beobachten, falls sie sich noch einmal lösen sollte.

Die Wesen schenkten Xtreme die Kraft des Flugs und die Fähigkeit, kosmische Explosionen auszulösen.

Nuclea Frau

Es war nur ein ganz normaler Tag im Kernkraftwerk, als Terroristen es in Besitz nahmen, um Strom an die Regierung zu verkaufen. Maxine hatte keine Ahnung, was sie tun sollte, um einen Stillstand zu veranlassen oder die Anlage zum Überhitzen zu bringen. Die Zeit stand nicht auf ihrer Seite, denn sie wurde von den Terroristen als Geisel genommen und über einer dampfenden Wanne mit Atommüll festgehalten. Als die Finger des Terroristen nachgaben, fiel Maxine in die nasse, grün-blaue Flüssigkeit. Mitarbeiter der Fabrik fischten sie heraus und brachten sie ins Krankenhaus. Regierungsbeamte fingen den Krankenwagen ab und nahmen Maxine mit. Jahrzehntelang allein in einer Zelle gelassen, schulte sie ihre neu entdeckten Fähigkeiten und entkam den Klauen der Regierungen. Erfüllt von Verzweiflung und Hass, versucht die Nuklearfrau, die Welt in einer atomaren Explosion auf höchstem Niveau zu beenden.

Ihre Hauptaufgabe ist es, kleine Atomexplosionen zu erzeugen und die Kontrolle über radioaktive Stoffe zu haben. Sie hat die Fähigkeit, Energie aus radioaktiven Waffen und Kernkraftwerken zu beziehen.

Die Geschichte des Soldaten S-1448

Die Dreakone gehörten einst zu den hochgradig moralisch einwandfreien, friedlichen und intelligenten Arten. Die telepathische Fähigkeit war so weit entwickelt worden, dass sie andere weniger intelligente Lebensformen dazu bringen konnten, zu sehen, was sie sehen wollten. Am liebsten nutzten sie ihre telepathische Tarnfähigkeit, um andere Welten zu besuchen und unbemerkt in fremden Bevölkerungen zu leben. Die Dreakonen hatten die meisten Orte im bekannten Universum bereist, bevor sie begannen, in andere Dimensionen zu reisen. Die Dinge änderten sich für die Dreakonen dramatisch, als sie auf einer Reise in eine andere Dimension unwissentlich die Tür zu ihrem Planeten öffneten und einen formlosen psychischen Parasiten in ihre Welt eindringen ließen. Bei der Suche nach Wirten verbreitete sich das Wesen schnell durch die Dreakone und zerstörte ihren Verstand, so dass sie zu gefährlichen, destruktiven und hasserfüllten Kreaturen wurden. Innerhalb von 1000 Jahren führten Krieg und Verrat innerhalb der Dreakone (ermutigt durch das Wesen) dazu, dass sie vergaßen, wer sie in der Vergangenheit waren. Die meisten Dreakone lebten mehr als zweitausend Jahre auf der Erde, und ein erwachsener Dreakon erreichte seine volle Reife erst im Alter von 400 Jahren. Dies führte dazu, dass die Bevölkerung nicht genügend Menschen hatte, um den Hunger des Wesens nach Schmerz und Leid zu stillen.

Besessen vom Willen der Entität, suchten die Dreakonen benachbarte Sonnensysteme nach anderen Lebensformen, die sie dominieren und kontrollieren konnten. Als Teil dieses Prozesses entdeckten sie einen sauerstoffreichen Planeten namens X291, auf dem humanoide Lebensformen, die als Ryons bekannt sind, lebten. Die Ryons wurden als eine ausgezeichnete Wahl angesehen, um eine hybride Lebensform zu schaffen, da hohe Strahlungswerte auf X291 ihre DNA geschmeidiger gemacht hatten.

Erwachsene Ryonen erreichten ihre Reife im Alter von 13 Erdenjahren, so dass die Bevölkerung recht schnell wachsen konnte. Nach der Entführung einer ausreichenden Anzahl der Arten wurden die Ryonen schließlich für die genetische Anpassung freigegeben.

Innerhalb von zweihundert Jahren hatten die Dreakonen eine riesige Armee von Supersoldaten aus einer Mischung von Ryon- und Dreacon-DNA erschaffen. Für einen externen Beobachter waren ein Dreacon und ein Hybridwesen nicht zu unterscheiden. Die Dreacons hatten einen Weg gefunden, die am weitesten entwickelten Teile ihrer eigenen DNA in ihrem Hybrid auszuschalten. Das hatte zur Folge, dass ihr neuer Hybrid nicht auf Fähigkeiten wie Telepathie zugreifen konnte und in Zukunft zu einer Bedrohung für sie wurde. Die daraus resultierende neue hybride Kreatur war hochgradig fähig, aber ohne Phantasie und in jeder Hinsicht ein perfekter Diener. Die Dreakone waren mit ihrer Leistung sehr zufrieden und hatten ihre neuen Supersoldaten programmiert, sie als Götter anzubeten. Eine dieser hybriden Supersoldaten war S-1448. S-1448 wurde beauftragt, ein defektes Antigravitationsgerät an Bord eines Dreacon-Raumschiffs zu reparieren. Beim Öffnen des Gehäuses des Gerätes wurde er einem Ausbruch intensiver Strahlung ausgesetzt, die ihn zu Boden warf. Wenig später bemerkte er, dass sich die Dinge in ihm zu ändern begonnen hatten. Er hatte die Möglichkeit, Dinge zu sehen, die er vorher nicht sehen konnte. Er konnte die Gedanken seiner Dreacon-Überlastungen lesen und begann, seine Befehle in Frage zu stellen. Die Dreakone wollte er nicht mehr als Götter verehren. Unbekannt für S-1448 zu dieser Zeit, hatte die intensive Strahlung, der er ausgesetzt war, begonnen, Dreacon DNA in ihm einzuschalten. Am nächsten Tag entkam S-1448 mit einem Fluchtshuttle vom Schiff und ging in den Hyperraum. Mit einer kryogenen Schlafpille reiste S-1448 jahrelang durch das Universum, bevor er schließlich die Erde erreichte. Auf der Erde fand S-1448 heraus, dass seine unbekannte DNA es ihm erlaubte, sich an die Umgebung anzupassen, in der er lebte, sogar unter dem Meer. Der reichhaltige Sauerstoff der Erde ist ein perfektes Elixier für ihn, das ihm erlaubt, länger zu leben. Für die menschlichen Beobachter wird er als Mensch angesehen, obwohl sich sein menschliches Aussehen je nachdem, mit wem er zusammen ist und wie er gesehen werden möchte, ändern kann. Oftmals wandert er ziellos, wenn ihm kein Zweck gegeben wird. Doch wenn er eine Aufgabe erhält, glaubt er, dass ihm nichts im Wege stehen kann. Drohnen erkunden das Universum auf der Suche nach S-1448, da er Platz 5 auf der Dreacon Meistgesuchtenliste einnimmt. Die Aufnahme muss unbedingt vermieden werden.

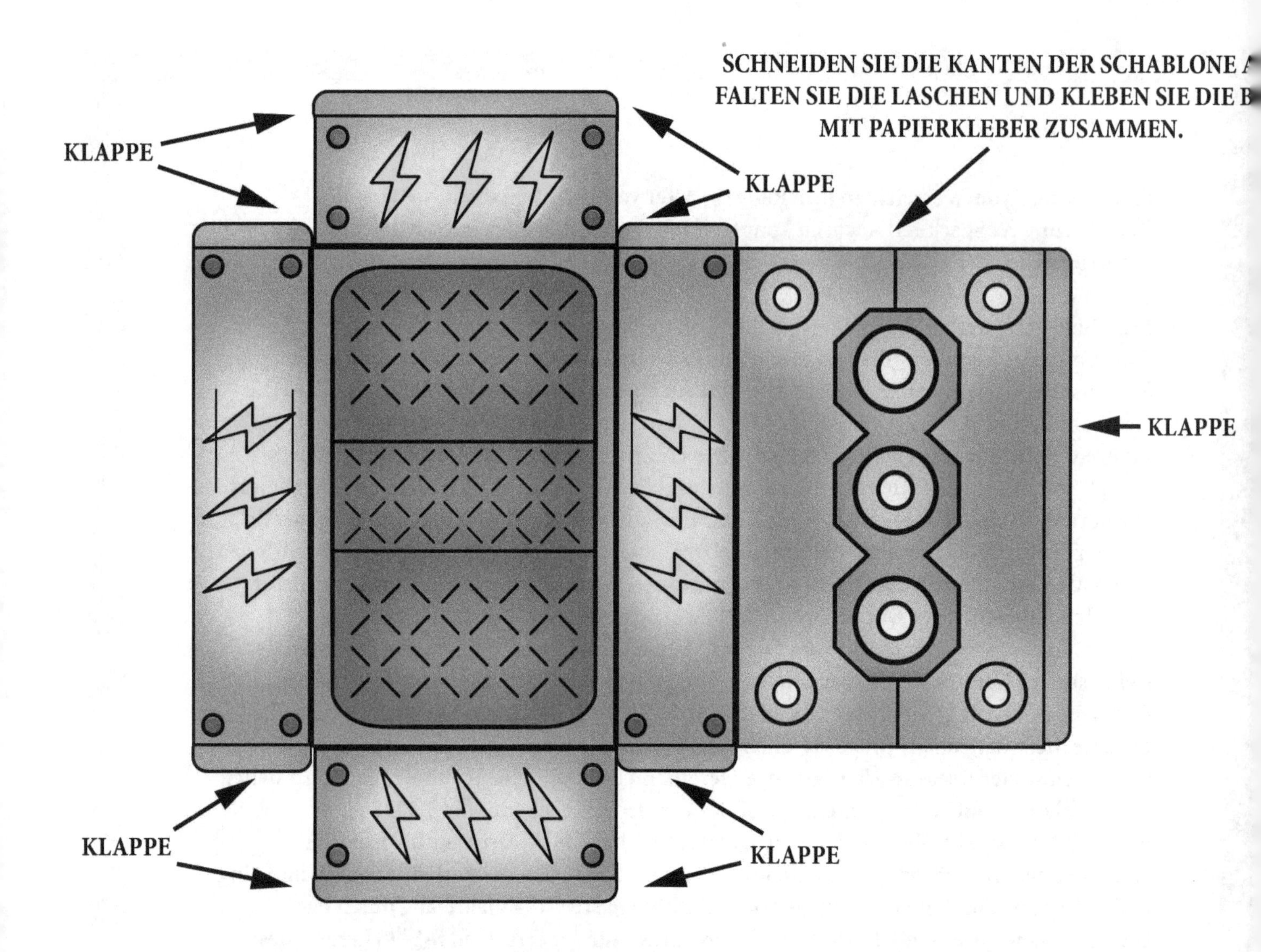
SCHNEIDEN SIE DIE KANTEN DER SCHABLONE
FALTEN SIE DIE LASCHEN UND KLEBEN SIE DIE
MIT PAPIERKLEBER ZUSAMMEN.
KLAPPE
KLAPPE
KLAPPE
KLAPPE
KLAPPE

BLOCK HEADS
DAS LIGHTNING STRIKE ANTI-GRAVITATIONSBRETT
GESCHWINDIGKEIT +20
BENUTZE DIESE KARTE, UM DIE GESCHWINDIGKEIT DEINES CHARAKTERS UM 22 ZU ERHÖHEN

Ein Beispiel für die Dreacon-Technologie

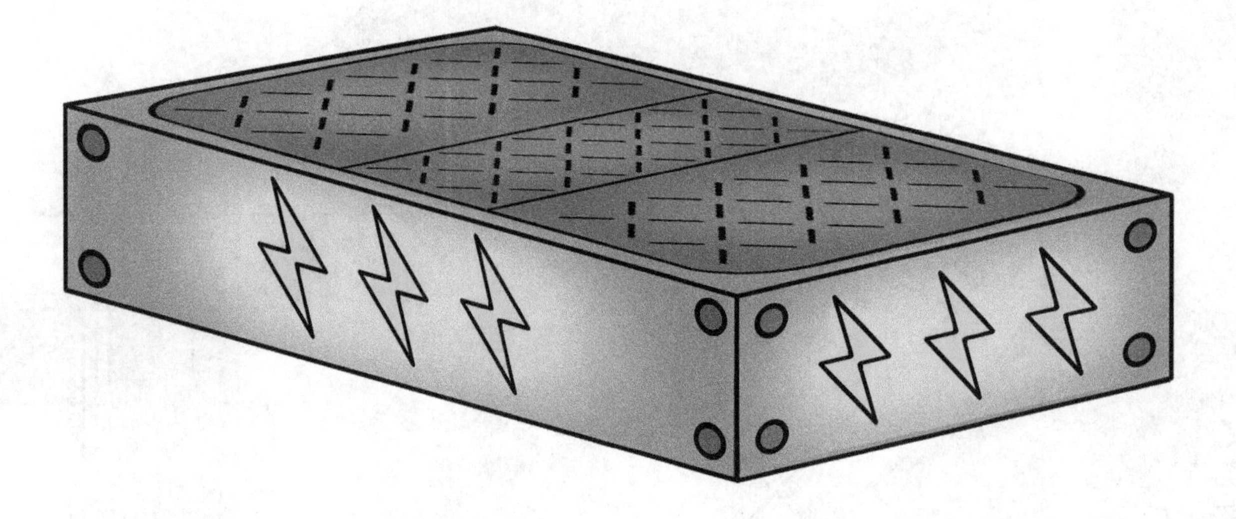

Das Lightning Strike Anti-Gravitationsbrett

In den Wüstenebenen von Attakill, wo Stürme die Oberfläche durchziehen, traf ein einziger Blitzschlag den Boden und brachte wieder Leben in die Welt. Dort, wo das Plasma den Boden berührte, bildete sich ein Kristall, der Jahrhunderte lang unberührt blieb. Nach der Entdeckung durch die Dreakonen wurde seine rohe Kraft und Kraft genutzt und in eine Umlaufbahn gebracht, um seine Energie zu stabilisieren. Die Kugel neben vielen anderen Artefakten wurde auf die Erde geschickt, um als Leistungsausgang verwendet zu werden. In den Texten der Außerirdischen wird erwähnt, dass jeder, der mit der von der Blitzkugel angetriebenen Technologie in Berührung kommt, die Geschwindigkeit eines Blitzschlags erreichen soll.

Dreacon Entwicklung von Anti-Gravitation-Boards

Vor ihrer Ansteckung durch eine parasitäre Lebenskraft begabte die Dreacon-Zivilisation Welten, die Zeichen des fortschreitenden Wissens über die Technologie zeigten, um spektakuläre Erfindungen zu schaffen. Sie wurde von alten Zivilisationen versteckt, um zu verhindern, dass Menschen mit der Absicht, die Welt zu zerstören, jemals die Mittel dazu finden. Um die Technik weiter zu schützen, haben sie Flüche in die Wände eingebettet, die es unmöglich machen, sie zu finden. Mit dem Aufkommen der modernen Technologie haben Regierungsorganisationen diese fortschrittlichen Technologien erforscht, um Waffen zu entwickeln und die menschliche Zivilisation zu fördern. Forschungsteams von Archäologen wurden entsandt, viele kehrten mit abgewischten Erinnerungen oder mit neuen Fähigkeiten zurück. Nach der Rückgewinnung eines Teils der Technologie wurde sie in Alltagsgegenstände eingebettet, um zu testen, ob sie sich in unseren Alltag integrieren lässt oder nicht. Bevor sie veröffentlicht wurden, beschlossen die Regierungen der Welt, die Schwebebretter zu testen, indem sie sie Menschen mit Superfähigkeiten als Transportmittel zur Verfügung gestellt wurden.

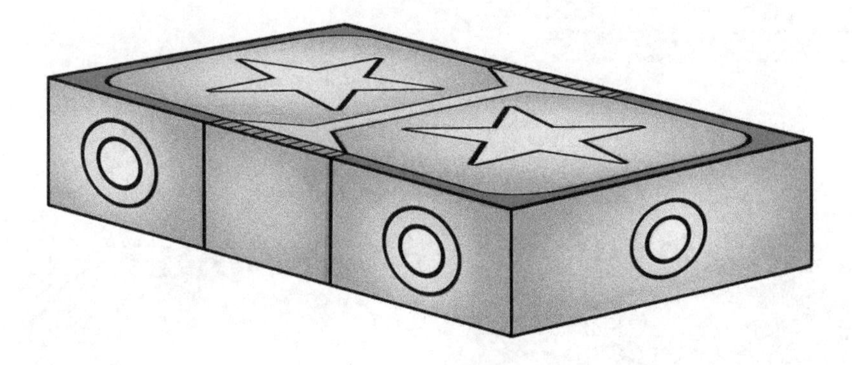

Sternbrett

Nach dem Zusammenbruch ihres Sterns brauchten die Dreakone eine Quelle, um ihrem Planeten Licht und Sonnenenergie zur Verfügung zu stellen. Ausgehend von der Essenz des Sterns schuf die hoch entwickelte außerirdische Zivilisation ein Leuchtfeuer, das alles bieten würde, was sie brauchte. Nachdem sie von den Dreacons dem Verteidiger verraten wurde, nahm eine andere fortgeschrittene außerirdische Kultur das Leuchtfeuer und schickte es zur Erde, wobei sie den Planeten versehentlich in eine Eiszeit stürzte. Es wird gesagt, dass jeder, der die Kraft des Sternenbakens nutzt, Lichtgeschwindigkeitsreflexe erhält.

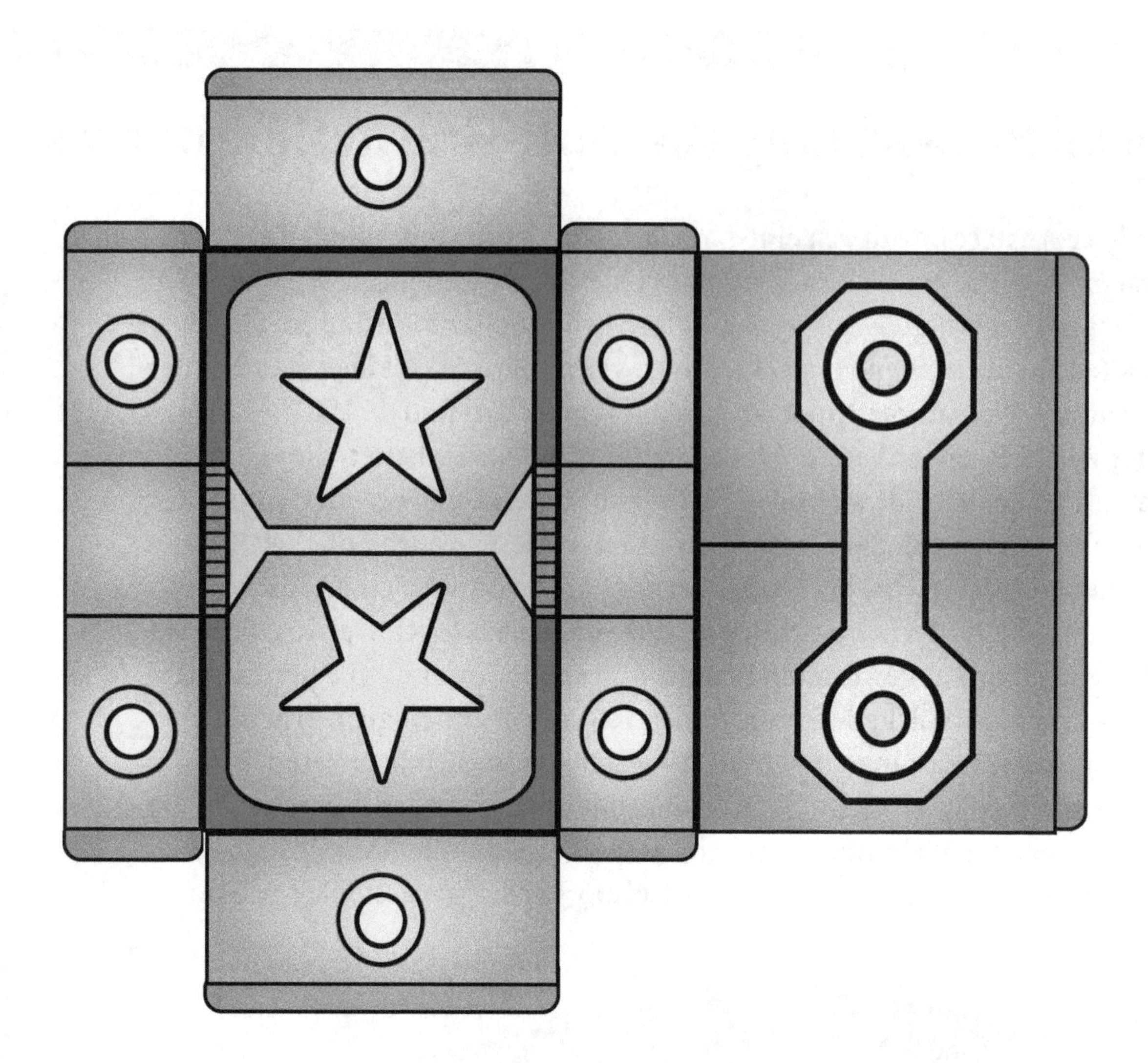

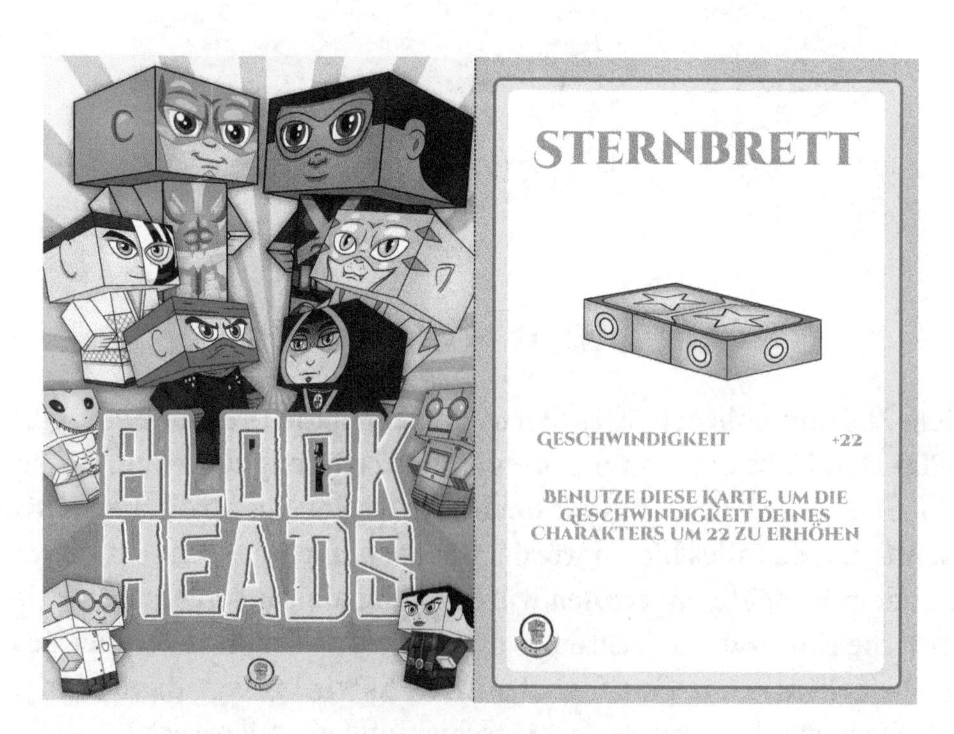
BLOCK
HEADS
STERNBRETT
GESCHWINDIGKEIT
+22
BENUTZE DIESE KARTE, UM DIE GESCHWINDIGKEIT DEINES CHARAKTERS UM 22 ZU ERHÖHEN

Kyle Fenning

Kyle Fenning stammt aus dem Jahr 2156. Damals wird ein langwieriger Krieg geführt. Die Dreakonen haben schließlich beschlossen, die Erde wieder zu besiedeln, nachdem sie seit über 200 Jahren heimlich Menschen entführt und gentechnisch verändert haben. Jetzt stehen die Bewohner der Erde einem Feind gegenüber, der genau wie sie aussieht; gentechnisch manipulierte, "menschlich aussehende" Supersoldaten (die wirklich ein menschlich-reptilianischer Hybrid sind).

Die außerirdischen Eindringlinge sind dreimal so stark. Die Erde wird von dem in den USA geborenen Kyle Fenning geleitet, der ein Experte für militärische Kämpfe und Waffen in höchstem Maße und der mutigste Mensch auf dem Planeten ist. Die Dreacons haben Kyle Fenning einen Kompromiss angeboten. Um in der Zeit zurückzugehen und den "Gesetzlosen" S-1448 zu finden. Er ist für sie so wichtig, dass sie zugestimmt haben, die Erde und ihre Bewohner für immer zu verlassen, wenn Kyle Fenning S-1448 lokalisieren und ihm einen speziellen Sender anbringen kann.

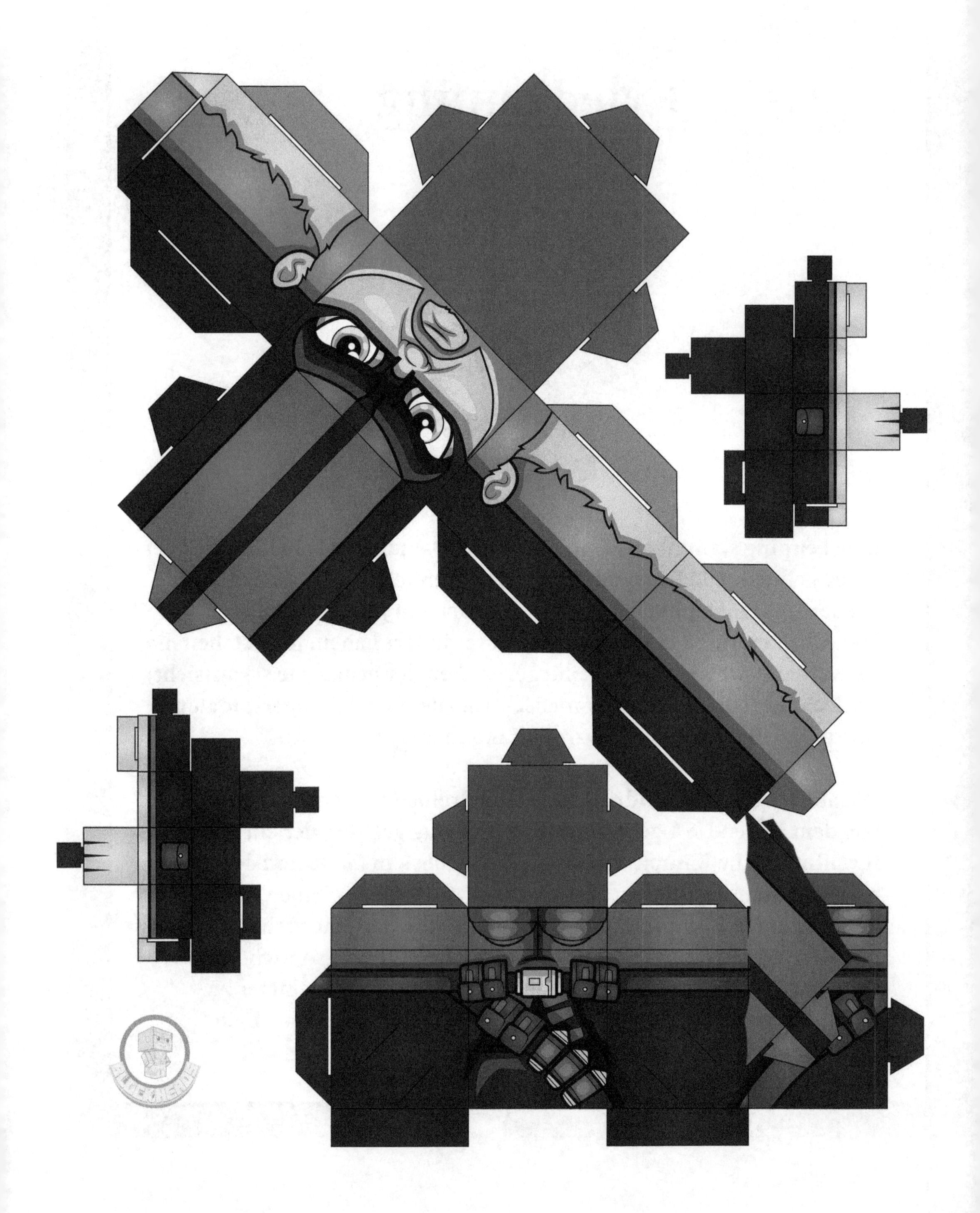

Professor Zvezda

Was mit der Liebe zur Wissenschaft in der Kindheit begann, wurde zum Wahnsinn und zum Verlangen nach Weltherrschaft.

Professor Nori Zvezda startete seine wissenschaftliche Karriere als Laborassistent bei Blue Labors mit Chemikalien und half anderen Wissenschaftlern bei ihren Experimenten. Während seiner Zeit dort hörte Nori die Bemerkungen über ein genetisches Verbesserungsprogramm und die Teleportation in andere Welten. War dieser Planet nicht gut genug? Sind die Menschen nicht gut genug?

Nori begann, sich extremistische Ansichten über Wissenschaft und Erde zu bilden. Er war der Meinung, dass wir, anstatt die Erde brennen zu lassen oder eine neue Welt zu suchen, sie heilen sollten. Obwohl Zvezda gute Absichten hatte, vermischte er sich mit den falschen Leuten und schloss sich Abantu (einer bösen Organisation) neben Masquerade an.

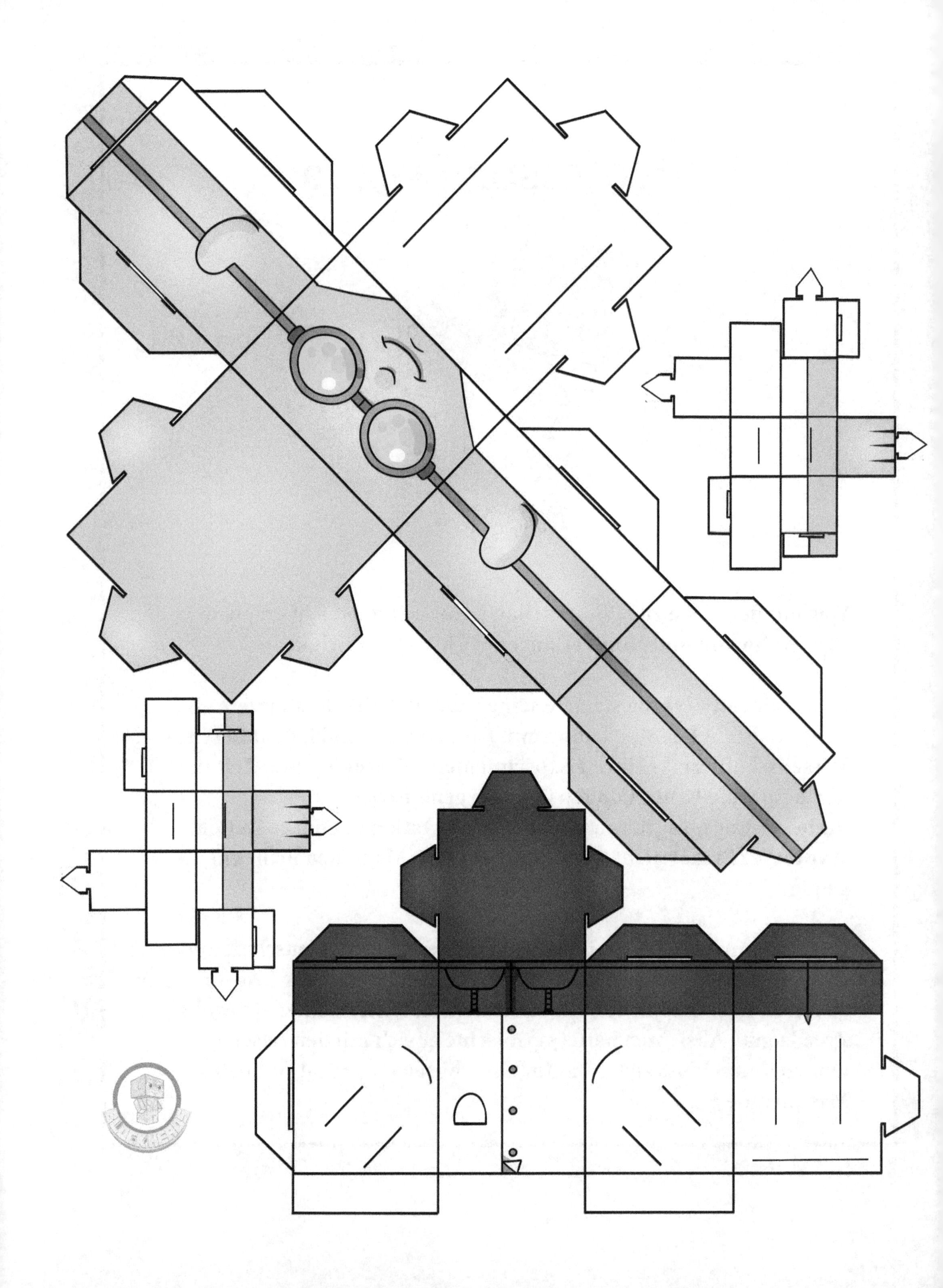

Masquerade

Er konnte sich nur befreien, indem er sein halbes Gesicht verlor. Eine Maske liegt dort, wo seine Jugend verloren ging. Jahre vergingen und Monterio erwarb den Spitznamen Masquerade. Als niederer Superschurke entschied er sich, neben Professor Zvezda die Geheimorganisation von Abantu zu gründen.

Hinweisblatt zur Herstellung von Blockköpfen

Wir empfehlen Ihnen, dickeres Papier zu kaufen und Ihre eigenen 3D-Blockköpfe mit den angegebenen Website-Details und dem Passwort auszudrucken. Obwohl das Papier in diesem Buch verwendet werden kann, um 3D-Blockköpfe herzustellen, ist das Papier doch relativ dünn. Wenn Sie beim Ausschneiden eines Blockkopfes einen Fehler machen, kann dieser mit den Website-Details und dem Passwort auf Seite 2 dieses Buches als PDF wiedergegeben werden. Ebenso, wenn Ihre 3D-Modelle versehentlich kaputt gehen, können Sie sie wiederherstellen, indem Sie sie von der bereitgestellten Website herunterladen. (Es wird daher wichtig sein, die Adresse und das Passwort der Website an einem sicheren Ort aufzubewahren, nur für den Fall, dass Sie es später benötigen.) Sie müssen die Kanten jeder Schablone mit einer Schere oder einem Bastelmesser rundum schneiden. Ein Bastelmesser eignet sich oft besser zum Schneiden an schwer zugänglichen Stellen. Ein Bastelmesser ist notwendig, um Schlitze für das Einsetzen der Klappen zu machen. Es wurden auch Spielautomaten für das Einsetzen von Mänteln, Waffen, Jetpacks und anderen Geräten zur Verbesserung der Fähigkeiten gelassen. Häufig ist es einfacher, diese Kürzungen in der Anfangsphase der Herstellung jedes Modells vorzunehmen, als es später zu überlassen. Obgleich jeder Charakter ohne den Einsatz von Klebstoff erstellt werden kann, kann manchmal ein verbessertes Gesamtbild durch den Einsatz von Papierkleber in einigen Bereichen erreicht werden.

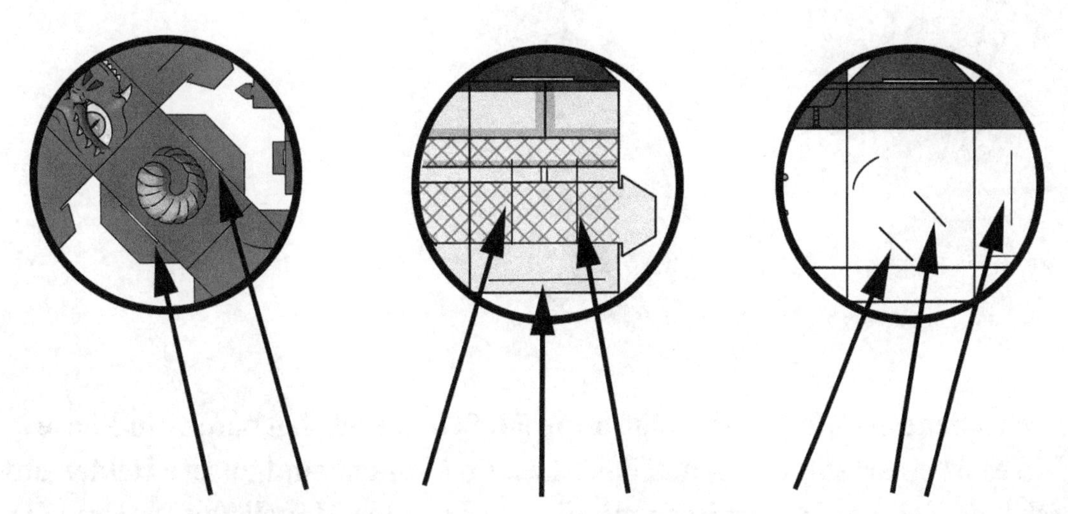

Verwenden Sie ein Bastelmesser, um Schnitte in diesen Bereichen vorzunehmen.

Obwohl jeder Charakter ohne Verwendung von Klebstoff erstellt werden kann, kann manchmal ein verbessertes Gesamtbild durch den Einsatz von Papierkleber in einigen Bereichen erreicht werden.

Werbung

Jeder noch so gute Held und jede Heldin, die ihr Geld wert ist, braucht ein Schwebeboard! Und nicht jedes alte Schwebeboard, sondern eines mit 1,2 Gigawatt Energie, das in 2,1 Sekunden 0-60 Meilen pro Stunde schafft und über Wasser, Sand und Eis schweben kann! Wenn Sie ein Held zur Rettung der Menschheit sind, brauchen Sie Dr. Craven, um die besten Boards zu entwerfen, die es gibt. Tief unter dem Südpol, in den Räumlichkeiten seines Labors, kreiert Dr. Craven nicht nur Superheldenanzüge, Gadgets und Brillen, sondern auch Schwebeboards!

Dr. Cravens neuestes Modell, die Lightning 5400, befindet sich bereits in Phase vier, d.h. es ist einsatzbereit! Genau das ist es, im Moment sind unsere Helden auf der Suche nach einem Leckerbissen mit diesem neuesten Modell von Dr. Cravens verrücktem, schnellerem als je zuvor Schwebeboard, das Sie doppelt sehen lassen wird! Sie werden wünschen, Sie hätten kein Abendessen gegessen, bevor Sie eine Fahrt machen!

BLOCK
HEADS

BLOCK
HEADS

BLOCK
HEADS

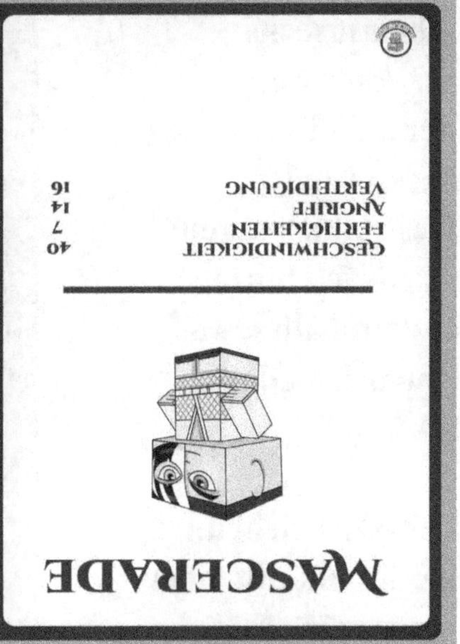
MASCERADE
GESCHWINDIGKEIT 40
FERTIGKEITEN 7
ANGRIFF 14
VERTEIDIGUNG 16

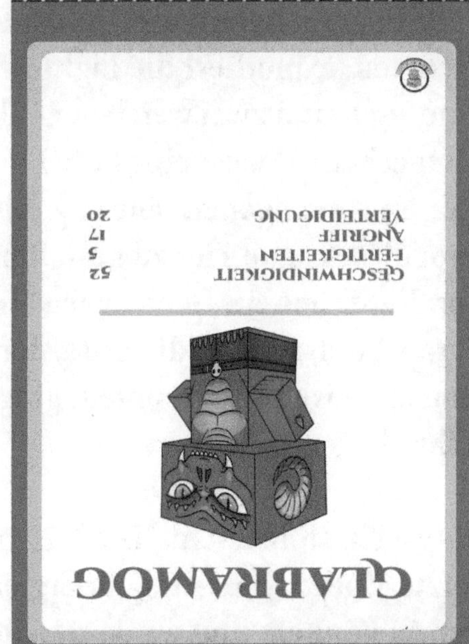
GLABRAMOG
GESCHWINDIGKEIT 52
FERTIGKEITEN 5
ANGRIFF 17
VERTEIDIGUNG 20

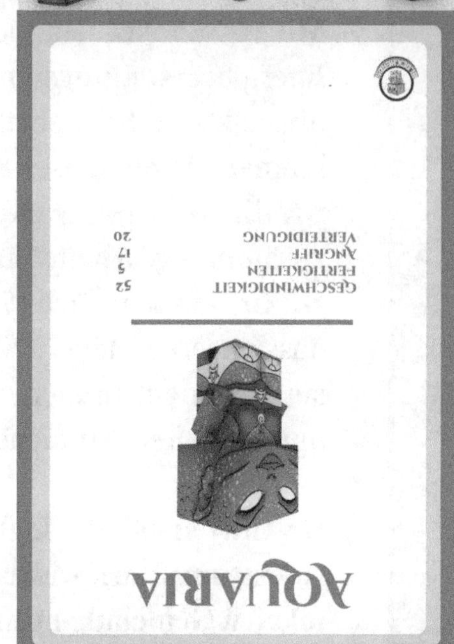
AQUARIA
GESCHWINDIGKEIT 52
FERTIGKEITEN 5
ANGRIFF 17
VERTEIDIGUNG 20

BLOCK
HEADS

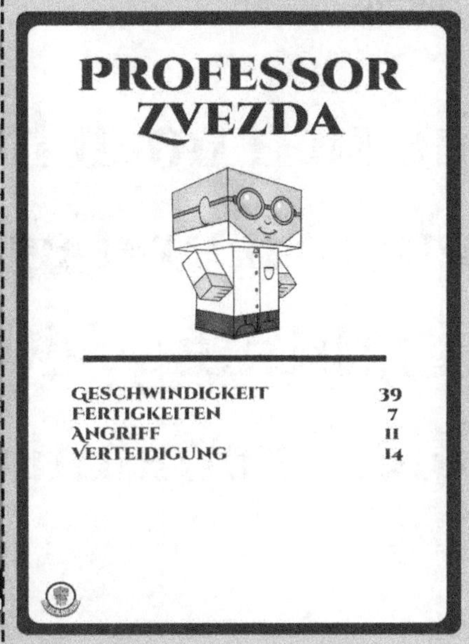
PROFESSOR
ZVEZDA
GESCHWINDIGKEIT 39
FERTIGKEITEN 7
ANGRIFF 11
VERTEIDIGUNG 14

Werbung

Mit 24 Nanokernen, die mehr Energie liefern als Ihr lokales Energieversorgungsunternehmen, explodiert die Lightning 5400 mit sechs übertakteten Schwebeflugmotoren und zwei weichen Lenkpads. Aber was können Sie mit dieser Kraft machen? Das ist eine gute Frage, denn dafür gehen wir direkt zu Dr. Craven, der im vergangenen Jahr eng mit unseren Helden zusammengearbeitet hat, um dieses neue Tier zu gestalten. "Was soll ich sagen?" Dr. Craven sagt: "Ich bin von Natur aus ein Genie, ganz einfach. Als ich hörte, dass unsere Helden etwas brauchten, um um die Erde, den Mond und alles, was sie sonst noch brauchen, um das Böse zu bekämpfen, ging ich zurück an das Spielfeld. Kein einfaches Schwebegerät würde reichen."

Dr. Craven hält die Lightning 5400 stolz hoch. "Die Lightning 5400 ist siebenmal so leistungsstark wie das letzte Modell, hat genug Energiekapazität, um mit jeder lokalen Gemeinde mithalten zu können, und wird schneller sein als eine F-35, die eigentlich ziemlich langsam ist!" Also, Helden und Helden-Schwannaben, ruht euch nicht für das Zweitbeste aus.

Schnappen Sie sich noch heute Ihr neues Schwebeboard und erleben Sie, warum die Lightning 5400 "The Hero's Choice" genannt wird!

XTREME

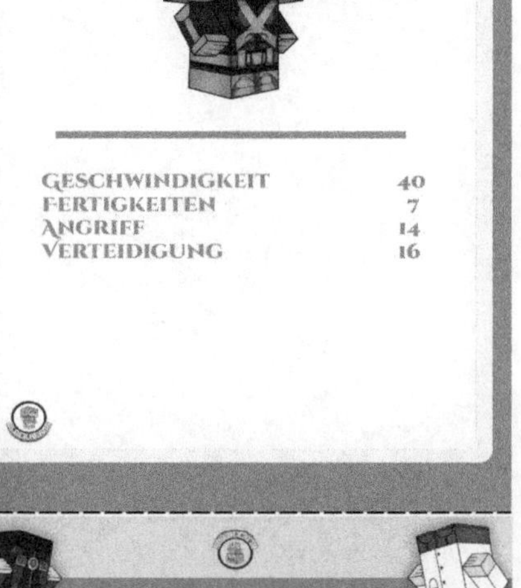

GESCHWINDIGKEIT	40
FERTIGKEITEN	7
ANGRIFF	14
VERTEIDIGUNG	16

SOLDIER S-1448

GESCHWINDIGKEIT	52
FERTIGKEITEN	8
ANGRIFF	19
VERTEIDIGUNG	25

NUCLEA WOMAN

GESCHWINDIGKEIT	30
FERTIGKEITEN	5
ANGRIFF	22
VERTEIDIGUNG	16

CPSIA information can be obtained
at www.ICGtesting.com
Printed in the USA
BVHW011634160819
556068BV00015B/1190/P

9 781839 300417